© 2016 Les Publications Modus Vivendi inc. pour l'édition en langue française.
© 2016 Paws, Inc. Tous droits réservés.

Garfield et les autres personnages Garfield sont des marques déposées ou non déposées de Paws, Inc.

Presses Aventure, une division de
Les Publications Modus Vivendi inc.
55, rue Jean-Talon Ouest
Montréal (Québec) H2R 2W8
CANADA
www.groupemodus.com

Éditeur : Marc G. Alain
Responsable de collection : Marie-Eve Labelle

Bandes dessinées tirées des albums Garfield publiés chez Presses Aventure
en versions françaises et traduits de l'anglais par Jean-Robert Saucyer.

Auteure des blagues des pages 3, 8, 15, 18, 27, 34, 71, 77, 85, 101, 109, 114 : Flavie Léger-Roy

Dépôt légal — Bibliothèque et Archives nationales du Québec, 2016
Dépôt légal — Bibliothèque et Archives Canada, 2016

ISBN : 978-2-89751-149-4

Nous reconnaissons l'aide financière du gouvernement du Canada par l'entremise du Fonds du livre du Canada pour nos activités d'édition.

Gouvernement du Québec — Programme de crédit d'impôt pour l'édition de livres — Gestion SODEC.

Imprimé en Chine

AS-TU TOUJOURS VOULU DEVENIR VÉTÉ ?

OUI

DEPUIS TOUTE PETITE

J'AIME AIDER LES ANIMAUX

LEUR AMOUR EST SANS CONDITION

JE RONRONNE POUR UN BEIGNET

JIM DAVIS 3-14

LIZ A RI DE MES BLAGUES TOUTE LA SOIRÉE

AI-JE TORT DE REMETTRE EN CAUSE SON SENS DE L'HUMOUR?

PAS EN CE QUI TE CONCERNE

GARFIELD, À PRÉSENT QUE JE FRÉQUENTE JON, J'ESPÈRE QUE NOUS DEVIENDRONS AMIS

CE NE SERA PAS FACILE

DIFFICILE DE SE LIER D'AMITIÉ AVEC QUELQU'UN QUI VOUS A VU NU

LIZ ME PLAÎT BEAUCOUP, GARFIELD

MAIS JE NE VAIS SURTOUT PAS PRÉCIPITER LES CHOSES

JE NE SUIS PAS PRÊT À LUI FAIRE VOIR MON TIROIR DE CHAUSSETTES

GARDE-LE EN RÉSERVE POUR VOTRE NUIT DE NOCES

JON, EMBRASSE-MOI...

AÏE!

UNE CRAMPE AUX LÈVRES!

TU NE T'ES JAMAIS BEAUCOUP EXERCÉ À EMBRASSER, PAS VRAI?

SON OREILLER DIRAIT LE CONTRAIRE

5

LIZ, VOUS VOULEZ ALLER AU CINÉMA?

CADAVRES DE MARTIENS VIENT DE PRENDRE L'AFFICHE!

C'EST LA SUITE DE *LE DÉCIMATEUR ATOMISE MARS*

IL S'AGIT D'UNE TRILOGIE QUI A DÉBUTÉ PAR *VIE ET MORT DU MARTIEN DÉMEMBRÉ*

O.K.

NOUS ALLONS VOIR *DÉSIR À L'OMBRE DES JONQUILLES*

ÇA ME SEMBLE VIOLENT

6

LA VIE AMOUREUSE DE JON !

AAAH! LES MÉANDRES DE L'AMOUR! BIEN SÛR, JON ARBUCKLE N'A PEUT-ÊTRE PAS LE MEILLEUR POTENTIEL À TITRE DE PRÉTENDANT PARFAIT, MAIS TOUT DE MÊME, QUI NE SERAIT PAS CHARMÉ PAR CET ÉTERNEL CÉLIBATAIRE AUX CHEMISES À CARREAUX TOUTES PLUS DUVETEUSES LES UNES QUE LES AUTRES? ET SON AMOUR DES FILMS LUGUBRES, DES PIZZAS, DU CAFÉ BIEN RÂPEUX, DES RESTAURANTS LOUCHES ET, SURTOUT, DES ANIMAUX? APRÈS DES ANNÉES À SE COGNER À LA PORTE DES AMOURS IMPOSSIBLES, JON POURRAIT ÊTRE SURPRIS DANS LES PAGES QUI SUIVENT...

GARFIELD ME TAQUINAIT À PROPOS DE CETTE REPRÉSENTATION DE BALLET

POURQUOI?

JE CROIS QUE SEUL UN VRAI MÂLE EST ASSEZ SÛR DE LUI POUR M'ACCOMPAGNER ICI

ALLEZ, LES CYGNES!

LIZ ET MOI DÎNONS ENSEMBLE CE SOIR. JE NE LE RÉALISE PAS ENCORE

YA-HOU!!!

L'IDÉE FAIT SON CHEMIN

AVOIR UNE COPINE CHANGE BIEN DES CHOSES, GARFIELD

LES SAVEURS SONT PLUS MARQUÉES, LES ODEURS SONT PLUS FORTES

JE DEVRAI CHANGER DE CHAUSSETTES PLUS SOUVENT

D'AUTANT QU'ELLE PEUT À PEINE TE SENTIR

JON, TON CANAPÉ EST COUVERT DE POILS DE CHAT!

ÇA ME PLAÎT CHEZ UN HOMME

TU NE PEUX PLUS L'AVOIR; ELLE EST À MOI DÉSORMAIS

9

BONNE IDÉE, CE PETIT-DÉJ' AU RESTO!

C'EST BON D'ÊTRE SEULS TOUS LES DEUX

OUPS... J'AI PARLÉ TROP VITE!

JE NE PEUX MANGER ALORS QU'ILS NOUS OBSERVENT AINSI

FAIS SEMBLANT DE NE PAS LES VOIR

ABAISSE LE STORE

Distributed by Universal Uclick

11

JE CROIS QUE LE RESTO QUE J'AI CHOISI TE PLAIRA

Y AURA-T-IL UN ENDROIT OÙ BRANCHER MA VESTE?

TU TE CHANGES?

MA VESTE JURAIT AVEC LE REGARD DE LIZ

DÉSOLÉ DU RETARD!

IL N'Y A PAS DE SOUCI

MAIS J'AI UNE VRAIE BONNE EXPLICATION

J'AI MIS MON PANTALON SENS DEVANT DERRIÈRE

ET IL A MARCHÉ TROIS KILOMÈTRES EN SENS INVERSE AVANT DE S'EN RENDRE COMPTE

LIZ VEUT QUE JE LUI CONFIE MES SENTIMENTS

QU'EST-CE QUE CELA PEUT VOULOIR DIRE?

C'EST PEUT-ÊTRE DANS LE DICTIONNAIRE

PLUS QUE SIX HEURES AVANT MON RENDEZ-VOUS AVEC LIZ

TU ES UN BRIN IMPATIENT, NON?

HUM... QUOI DE NEUF?

EUH... JOLIE COIFFURE

JE M'EXERCE À CONVERSER AVEC LIZ

NE LAISSE RIEN AU HASARD

COMMENT S'APPELLE LE PARFUM QUE TU PORTES?

TU SENS PROBABLEMENT LE BISCUIT AU CHOCOLAT QUI EST DANS MON SAC

C'EST TOUT UN NOM

OÙ ÉTAIS-TU JUSQU'À PRÉSENT?

JON...

POURQUOI TON PANTALON A-T-IL UNE PATTE PLUS COURTE?

HEIN?

GARFIELD!

IL ME FALLAIT UN BANDANA

JE T'AI APPORTÉ DES CHOCOLATS

C'EST GENTIL, JON. MERCI!

VEUX-TU HUMER LEUR PARFUM DANS LA GUEULE DE GARFIELD?

NON MERCI, JON

JUSTE UNE BOUFFÉE! ILS ÉTAIENT BONS

LIZ, PUIS-JE TE REGARDER DROIT DANS LES YEUX?

BIEN SÛR

JE N'AI PAS TENTÉ DE L'HYPNOTISER. IL S'EST HYPNOTISÉ LUI-MÊME

FAIS-LE GLOUSSE COMME UN POULE!

BISOU

TU AS PERDU UN PARI?

LE SERVEUR NE M'INSPIRE PAS CONFIANCE

POUR QUELLE RAISON, JON?

SIMPLE PRESSENTIMENT

NOUS N'AVONS PLUS (BUR DE VEAU

14

GARFIELD
À PROPOS DES RENCONTRES

LE MOMENT D'UNE RENCONTRE N'EST JAMAIS FACILE, MAIS C'EST PARTICULIÈREMENT DIFFICILE POUR JON, MON MALHEUREUX MAÎTRE. LORSQU'IL N'EST PAS REJETÉ, IL S'ACCROCHE AUX FEMMES LES PLUS ÉTRANGES DU MONDE. VOYEZ UN PEU... IL Y A EU KIMMY, QUI AVAIT ÉTÉ ÉLEVÉE PAR LES LOUPS; LORETTA GNISH, QUI AVAIT UN TROISIÈME NOMBRIL; BIG BERTHA, QUI FAISAIT PARAÎTRE PETITE LA GROSSE FEMME DU CIRQUE; ET BIEN SÛR, L'INOUBLIABLE CINDY DROVITZ, LA TOP MODÈLE DU BARBIER (ELLE ÉTAIT AFFUBLÉE D'UNE GROSSE MOUSTACHE!).

CÔTÉ RENCONTRES DÉSASTREUSES, JON LES A TOUTES CONNUES. UNE FOIS, IL A RASÉ ACCIDENTELLEMENT LA MOITIÉ DE SA TÊTE, A ACCROCHÉ SON VESTON SUR LA PORTIÈRE DE L'AUTO, MIS LE FEU À SA CRAVATE ET JETÉ PAR ACCIDENT SES LENTILLES DE CONTACT DANS LES TOILETTES... TOUT CELA LA MÊME JOURNÉE! ENSUITE, IL Y A EU LA FOIS OÙ SA RENCONTRE SURPRISE S'EST ENDORMIE EN L'ÉCOUTANT RACONTER SES ANECDOTES SUR LA FERME; ELLE S'EST PRESQUE NOYÉE SANS SA SOUPE.

TRAVAIL EN ÉCHANGE DE RENCONTRE

PAUVRE JON... EXISTE-T-IL QUELQU'UN SUR TERRE QUI PARTAGE SES GOÛTS? ET SURTOUT MES GOÛTS À MOI! IL Y A BIEN CETTE JOLIE VÉTÉRINAIRE, MAIS SURVIVRAIT-ELLE AUX VESTONS DE JON? PEUT-ÊTRE AIME-T-ELLE LA LASAGNE...

JE CROIS QUE LE SERVEUR ME DÉTESTE

POURQUOI DIS-TU CELA ?

VOICI VOTRE PAIN, MONSIEUR !

BONK!

UNE IMPRESSION

DE LA TARTE ?

TU TE SOUVIENS DE NOTRE PREMIÈRE RENCONTRE ?

ET DE LA PREMIÈRE CHOSE QUE TU M'AS DITE ?

JOLIE CRAVATE AUX MOTIFS D'OURSONS ?

D'ACCORD, LA DEUXIÈME CHOSE

BONSOIR, LIZ! PRÊTE POUR...

JON! HUM!

MON COSTUME TE PLAÎT? TU NE ME CROIRAIS PAS SI JE TE DISAIS COMBIEN J'ATTIRE LES REGARDS!

JE... AH!...

DES REGARDS COMME ÇA

UNE TABLE POUR DEUX, S'IL...

OUAAAAHHH!

MES YEUX! MES YEUX!

C'EST LA CHEMISE, N'EST-CE PAS?

BONSOIR, JE M'APPELLE ARMANDO ET JE M'OCCUPERAI DE VOUS CE SOIR

HOU-LÀ-LÀ! VOYEZ CETTE CHEMISE!

QU'Y A-T-IL AU MENU CE SOIR, ARMANDO?

HORREUR! HORREUR!

BOUTONNE TA VESTE, JON

AVRÉ DE VOUS IMPORTUNER. JE SUIS LE DIRECTEUR DE L'ÉTABLISSEMENT. NOUS AVONS EU DES PLAINTES DICULES À PROPOS DE VOTRE CHEMISE

DIEU DU CIEL! C'EST DONC VRAI!

DÉTOURNEZ LES YEUX, TOUS! CHACUN POUR SOI!!!

J'AI ENVIE DE FLÉTAN, CE SOIR

UELLE SOIRÉE EMBARRASSANTE

J'IMAGINE

LE CHEF A CONFISQUÉ MA CHEMISE

JE PARIE QU'ELLE RÉSISTE AU FEU

ET CE NŒUD PAPILLON À PINCES ME FAIT MOURIR

IL EST VRAIMENT VICTIME DE LA MODE

TU NE PORTERAS PAS CE PANTALON

NON, PAS DE CULOTTE DE ZOUAVE

PAS CONVENABLE

REFUSÉ

N'Y SONGE MÊME PAS

OÙ PREND-IL DE PAREILS VÊTEMENTS?

VIDE-GRENIER CHEZ BOZO LE CLOWN

NAVRÉ D'APPRENDRE QUE TU ES SOUFFRANTE, LIZ

IL VAUT MIEUX ANNULER NOTRE RENDEZ-VOUS

UNE AUTRE BOMBE DE DÉODORANT GASPILLÉE!

M. TENDU

L'IDÉE M'A TRAVERSÉ L'ESPRIT QUE JE NE SUIS PLUS UN RATÉ

J'AI UNE COPINE, DES ANIMAUX DE COMPAGNIE...

UNE COLLECTION DE CHAUSSETTES

RATÉ

DRIIING

JE PARIE QUE C'EST LIZ!

ICI JONNY D'AMOUR ARBUCKLE AMOROSO

BIEN, MME FEENY. ET VOUS?

ENVOIE-LUI UN BAISER DE MA PART, JONNY D'AMOUR

ON DIT QUE L'AMOUR EST AVEUGLE

L'AMOUR EST AUSSI UN IDIOT

LE SALON DES POUPÉES ANCIENNES BAT SON PLEIN

ALLONS-Y!

JE PRENDS MON SAC

TU DOIS M'ARRÊTER QUAND J'AGIS AINSI

FAIS GUILI-GUILI À LA POUPÉE-QUI-FAIT-PIPI

JE SUIS PRÊT POUR LE RENDEZ-VOUS!

COMMENT SUIS-JE?

HUM...

N'AS-TU PAS RENDEZ-VOUS VENDREDI?

J'ESPÈRE QUE CE BOUQUET TIENDRA BON

JE CONSERVE UNE PHOTO DE LIZ DANS MON PORTEFEUILLE

IL TE FAUT UNE PHOTO PLUS PETITE

IL ME FAUT UN PORTE-FEUILLE PLUS GRAND

OU L'UN ET L'AUTRE

QUOI DE NEUF, MON CHÉRI?

J'AI UNE COPINE, IRMA!

ELLE A BESOIN D'ÊTRE RASÉE, CHÉRI

AVEC CES JAMBES, JE ME TAIRAIS CHÉRIE

BONJOUR, LIZ. TON COPAIN À L'APPAREIL

OH, LEQUEL? J'EN AI PLUSIEURS!

JON?

C'EST UNE BLAGUE

TROP TARD. IL EST DÉJÀ SUR LE PONT

LA MAIN DANS LA MAIN, TU VEUX BIEN?

D'ACCORD

LA TIENNE DANS LA MIENNE?

POURQUOI PAS?

LIZ ET MOI ALLONS AU CINÉMA CE SOIR

NE M'ATTENDS PAS

D'ACCORD

Z

JE NE COMPRENDS PAS LES FEMMES

JE FAIS SEULEMENT SEMBLANT DE LES COMPRENDRE

OUAIS, ET ÇA FONCTIONNÉ À TOUS LES COUPS

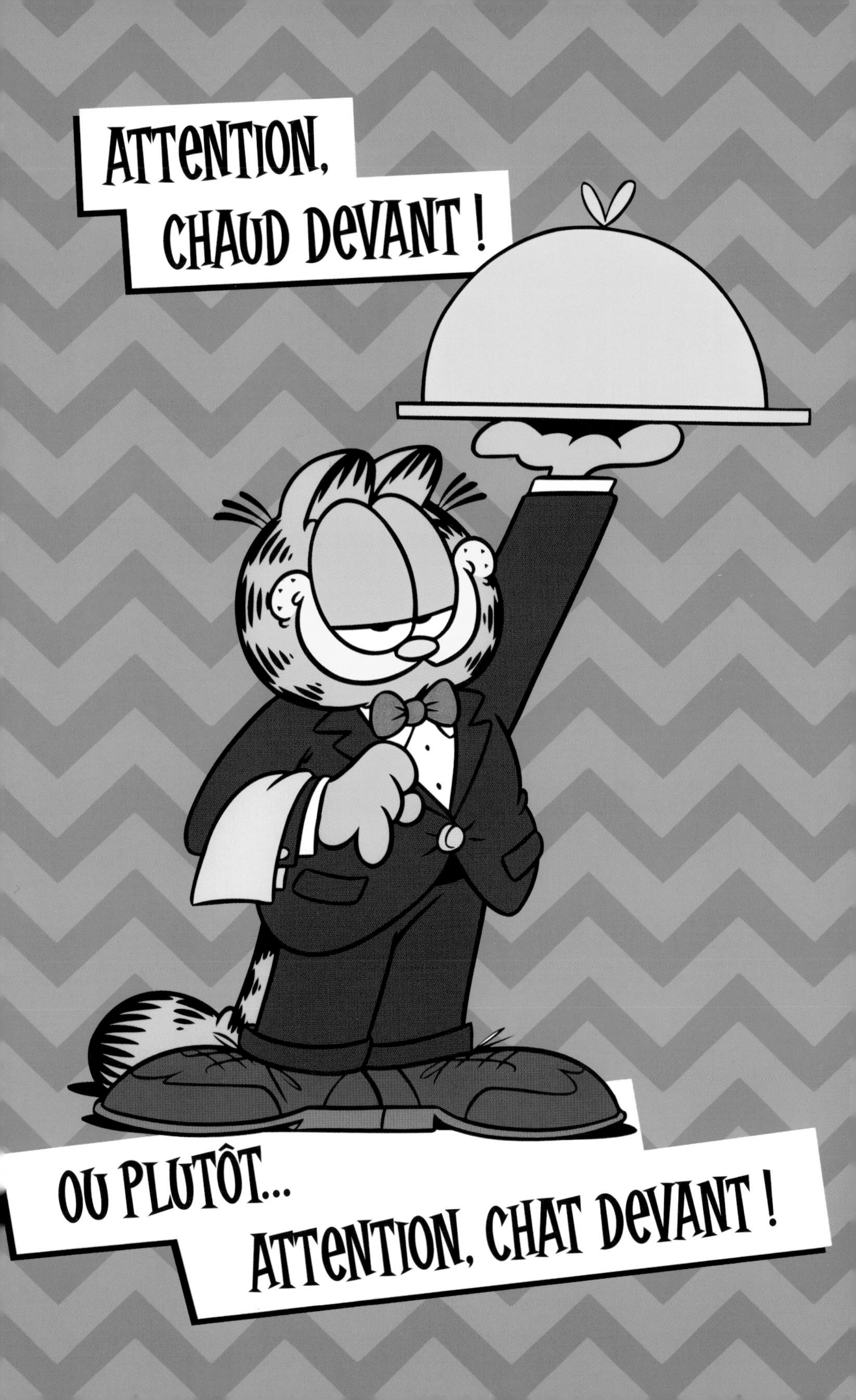
ATTENTION,
CHAUD DEVANT !
OU PLUTÔT...
ATTENTION, CHAT DEVANT !

JON, POURQUOI NE PAS RESTER ICI ET DISCUTER?

PARLER?

OUAIS, NOUS ASSEOIR ET PARLER

PARLER?

TU SAIS JE DIS QUELQUE CHOSE, ET TU RÉPONDS

PARLER?

UN COUPLE DOIT DISCUTER

PARLER?

ALLEZ, VIENS!

PARLER?

D'ABORD TOI, JON

EUH... J'AI UN CHAT

IL EST MIGNON QUAND LA PEUR LE PARALYSE

JIM DAVIS 7-10

LIZ, CROIS-TU QUE ÇA M'IRAIT SI JE ME LAISSAIS POUSSER UNE...

NON

JE T'AIME COMME TU ES!

COMME C'EST GENTIL!

BEC

AAAH...

JUSTE UN PETIT PEU...

NON

JIM DAVIS 9·12

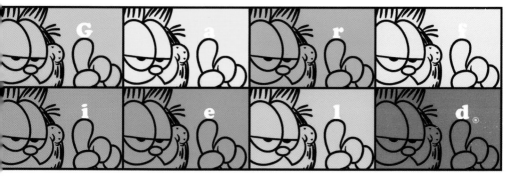

JE VIENS DE FAIRE CENT TRACTIONS!

C'EST BON. C'ÉTAIT DES TRACTIONS DE JEU VIDÉO

MAIS JE PENSE M'ÊTRE CLAQUÉ UN TENDON

ET DÉCHIRÉ UNE CUTICULE

JE VAIS METTRE DE LA GLACE ET M'ALLONGER

EST-IL TOUJOURS COMME...

TU NE SAIS RIEN DE LUI, MA JOLIE

AÏÏÏE! C'EST FROID!

JIM DAVIS 7-1

FLAP!

C'EST TOI, JON? QU'Y A-T-IL?

EUH....

J'AI OUBLIÉ LA RAISON DE MON APPEL

RAPPELLE-MOI QUAND TU T'EN SOUVIENDRAS

CLIC

JIM DAVIS 9-25

J'AI OUBLIÉ SON NUMÉRO!!!

LES VIEUX SONT RIGOLOS

ON MANGE À L'EXTÉRIEUR, CE SOIR, LIZ?

D'ACCORD!

MAIS PAR MANGER À L'EXTÉRIEUR, TU NE VEUX PAS DIRE...

... MANGER CE SAC DE CROUSTILLES SUR LE BALCON, J'ESPÈRE!

ELLE LIT DANS LES PENSÉES!

EH BIEN, BONNE NUIT, LIZ

BONNE NUIT, JON

JE NE PEUX PAS L'EMBRASSER SI TU REGARDES, GARFIELD

JE PEUX RESTER TANT QUE TU VEUX, LIZ

LIZ A TOUT CE QUE JE RECHERCHE CHEZ UNE FILLE

J'ESPÈRE SEULEMENT QU'ELLE RESSENT LA MÊME CHOSE POUR MOI...

ÇA NE TE DÉRANGE PAS QUE JE TE CONFIE TOUT ÇA, J'ESPÈRE?

TU DISAIS?

Gar fie ld.

À TOUT DE SUITE!

LIZ APPORTE LE REPAS CE SOIR!

ELLE A PRÉPARÉ UNE **LASAGNE**!

OUAIS. ELLE DEVRAIT SONNER D'UNE MINUTE À L'AUTRE!

♪ DING DONG

C'EST OUVERT!

JON?

JON QUI?

JIM DAVIS 10·2

35

JON, RESTONS À LA MAISON CE SOIR. PARLONS!

PARLER?

OUI! ON PARLE TOUJOURS AU TÉLÉPHONE... PARFOIS PENDANT DES HEURES!

HUM... D'ACCORD

C'EST UN BON DÉBUT!

EXCUSE-MOI UN INSTANT

DRING DRING DRING

ALORS, COMMENT S'EST PASSÉE TA JOURNÉE?

REVIENS ICI

LES VIEILLES HABITUDES SONT DIFFICILES À CHANGER

JE VEUX CRÉER L'AMBIANCE ROMANTIQUE PARFAITE

JE VAIS ACCORDER MON BANJO

HOLÀ! UN INSTANT, JONNY... REVIENS ICI...

LIZ VIENT ICI CE SOIR

JE TRAÎNE UNE PHOTO DE LIZ PARTOUT OÙ JE VAIS

COMME C'EST MIGNON

DÉBILE, MAIS MIGNON

J'ÉCRIS UNE LETTRE D'AMOUR À LIZ

ET IL NOUS FAUT DOUZE BOÎTES DE THON

ON PEUT ÉCRIRE AUTRE CHOSE QU'UNE LISTE D'ÉPICERIE, TU SAIS

DIS-MOI QUE TU RIGOLES!

GARFIELD

CE SOIR, LIZ ET MOI FAISONS UNE SOIRÉE DVD!

ON VA S'INSTALLER CONFORTABLEMENT SUR LE SOFA... ON VA LANCER LE DVD...

CETTE SEMAINE, ELLE CHOISIT LE FILM ET JE FAIS LE MAÏS SOUFFLÉ!

ON VA TAMISER LA LUMIÈRE... SE COLLER L'UN CONTRE L'AUTRE... ET...

EMBRASSE-MOI, LUCRÉTIA!
SNIF
ZZZZZZZ

JE SUIS CUIT!
VAS-TU MANGER TOUT LE MAÏS SOUFFLÉ?

JE SORS AVEC LIZ

ET JE RESTE À LA MAISON AVEC LE JAMBON

QU'EST-CE QU'IL Y A SUR LA BANQUETTE, JON?

LE SOUPER DE DEMAIN SOIR

HÉ, CE MENU EST EN ANGLAIS!

TU LE TIENS À L'ENVERS

AH, OUI!

PUIS-JE ENCORE COMMANDER LE JARRET DE BŒUF?

SI TU VEUX

QU'EST-CE QUE TU VEUX POUR NOËL, LIZ?

EUH... JE NE SAIS PAS...

SURPRENDS-MOI!

JE SUIS PERDU

QUELQU'UN EST SURPRIS?

PEUT-ÊTRE UNE ROBE POUR LIZ... JE NE CONNAIS PAS SA TAILLE, DEVRAIS-JE LUI DEMANDER?

OH, REGARDE, DES BOULES AU FROMAGE ET AUX NOIX

BON GARÇON

DES SEMAINES PLUS TÔT :

AH!

BIP BIP BOOP BEEP BOOP BOOP BIP

J'AIMERAIS COMMANDER UN CADEAU POUR MON COPAIN...

CELUI SUR LA PAGE 32... MON NUMÉRO DE CARTE DE CRÉDIT EST LE...

VOILÀ! C'ÉTAIT FACILE

MAINTE-NANT

TU CROIS QU'ELLE AIMERAIT UN MANOMÈTRE POUR PNEUS?

EH OUI! TOUJOURS PAS MARIÉS!

TU CROIS QUE LIZ AIMERAIT UN DÉTECTEUR DE POISSONS POUR NOËL?

EXCUSE-MOI DE NE PAS PENSER COMME UNE FEMME!

BIZARRE... TU COURS COMME UNE FILLETTE

JE NE SAIS TOUJOURS PAS QUOI OFFRIR À LIZ

JE VAIS DEMANDER L'AVIS D'UN EXPERT...

ELLE FAIT ENVIRON CETTE TAILLE

SÉCURITÉ!

LIZ, JE NE SAIS VRAIMENT PAS QUOI T'ACHETER POUR NOËL

PEUX-TU ME DONNER UNE IDÉE?

J'AIME LE ROSE

ÇA AIDE?

ELLE AIME LE ROSE

ÇA RÉDUIT LES POSSIBILITÉS À LA FAMILLE DES PAMPLE-MOUSSES...

LIZ AIMERAIT PEUT-ÊTRE DU PARFUM

«EAU DE WOWIE-WOW-WOW»

ÇA ME SEMBLE BIEN

«PEUT CAUSER UNE SALIVATION EXCESSIVE CHEZ L'HOMME»

41

« BRUINE DE MUSC MUCHO MACHO POUR HOMME »

« LES FEMMES EN SERONT FOLLES »

SPRITZ SPRITZ

EMBRASSE-MOI OU JE T'ASSOMME!

ÇA MARCHE!

JOYEUX NOËL, LIZ

OH, UNE BOÎTE À MUSIQUE!

ELLE JOUE « MON BEAU SAPIN » VERSION POLKA

EUH... WOW

REGARDE! LA PETITE BALLERINE A UN ACCORDÉON!

J'AI UN AMI QUI PEUT T'ENTERRER ÇA POUR PAS CHER

EST-CE QUE MA CRAVATE EST BIEN PLACÉE?

ELLE PENCHE UN PEU À DROITE

ET MAINTENANT?

LIZ, TU ES MAGNIFIQUE

N'ES-TU PAS D'ACCORD, GARFIELD?

OUI!

ELLE GARDE DES BONBONS DANS SON SAC À MAIN!

ALLÔ, JON, C'EST MOI

ALLÔ, LIZ!

QUE FAIS-TU?

PAS GRAND-CHOSE...

C'EST LA JOURNÉE LESSIVE

CŒURS SENSIBLES S'ABSTENIR

QUE VAS-TU PORTER POUR LE RESTO CE SOIR?

TU VAS PORTER ÇAAAA?...

BEN, PEUT-ÊTRE PAS, NON...

LA POLICE DE LA MODE A UN NOUVEAU SHÉRIF

43

GARFIELD VOULAIT NOUS ACCOMPAGNER CE SOIR

ES-TU SÛR QU'IL N'EST PAS LÀ?

HEIN?

CE N'EST PAS LUI, DERRIÈRE LE CHARIOT À DESSERTS?

À MOI! TOUT À MOI!

PAS SI JE NE ME RETOURNE PAS POUR REGARDER

WOW, LIZ EMBRASSE VRAIMENT BIEN

VRAAAIMENT BIEN

VRAAAIMENT TRÈÈÈS BIEN...

IL DOIT TOUJOURS EN METTRE TROP.. VRAAAIMENT...

GARFIELD! LIZ POURRAIT BIEN ÊTRE «LA BONNE»!

OUI, SES BLAGUES SONT MAUVAISES ET SES NARINES FRÉTILLENT QUAND ELLE EST EN COLÈRE, MAIS ELLE POURRAIT BIEN ÊTRE «LA BONNE»!

«LA BONNE» EST JUSTE DERRIÈRE TOI, CRÉTIN, ET SES NARINES FRÉTILLENT

LIZ DIT QUE JE NE PARTAGE PAS MES ÉMOTIONS

ELLE DIT QUE C'EST IMPORTANT DANS UNE RELATION

PEUT-ÊTRE SUIS-JE SANS CŒUR?

JE DEVRAIS SANS DOUTE Y METTRE PLUS D'EFFORTS

JE T'AIME, VIEUX

RAMÈNE LE SANS CŒUR... VIEUX

VLAN!

LA SOIRÉE FUT BRÈVE

LIZ VEUT QUE JE CHANGE D'HABIT

OUILLE, MES YEUX!

* CLIC *

ENVOYER

QU'EN DIS-TU?

BRÛLE LA VESTE

IMPOSSIBLE QUE TU N'AIMES **PAS** CE COSTUME!

EST-CE UNE TARE GÉNÉTIQUE?

NON, C'EST DU COTON GAUFRÉ

WOU-HOU

E PARIE QUE GARFIELD ÉTAIT UN CHATON TRÈS MIGNON

EN EFFET...

TU VEUX VOIR UNE PHOTO?

TU AS UNE PHOTO DE TON CHAT, PETIT, DANS TON PORTEFEUILLE?

BIEN SÛR!

SMAAAAAAACK

JE T'EN DOIS UNE, GARFIELD

DES LÈVRES QUI TOUCHENT UNE VÉTÉ NE TOUCHENT JAMAIS LES MIENNES

GARFIELD

J'AI UNE PHOTO DE LIZ SUR LA TABLE DE CHEVET...

JE L'AI AUSSI COMME ÉCRAN DE VEILLE SUR MON ORDI

J'AI UNE PHOTO D'ELLE DANS MON PORTEFEUILLE...

ET J'AI SA PHOTO SUR MON CELLULAIRE

JE NE ME LASSE JAMAIS DE LA REGARDER

JE TE COMPRENDS

J'ÉPROUVE LE MÊME SENTIMENT POUR LE MACARONI AU FROMAGE

JIM DAVIS 2-28

OUI, MAMAN, LIZ ET MOI SOMMES TOUJOURS ENSEMBLE

JE SAIS, NOUS FORMONS UN COUPLE CHARMANT

JE SAIS, TU VEUX DES PETITS-ENFANTS AVANT TA MORT

LES MÈRES SONT PEU SUBTILES

DÎNONS-NOUS AU RESTAURANT CE SOIR?

D'ACCORD!

C'EST À MOI QU'ELLE PARLAIT!

TRÈS BIEN. TU CONDUIRAS

COURS, LIZ!

SAUVE-TOI PENDANT QUE TU PEUX!

UN NOUVEAU PULL!

COURS, ODIE!

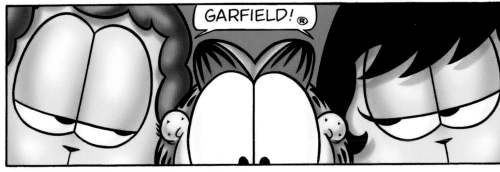

LIZ S'EST ANNONCÉE POUR CE SOIR

JE FERAIS MIEUX DE LAVER LE SALON À HAUTE PRESSION

J'ADORE QUAND IL JOUE À MONSIEUR NET

LIZ ET MOI AVONS LOUÉ UN FILM. TU VIENS LE REGARDER AVEC NOUS?

IL Y AURA DU MAÏS SOUFFLÉ

JE VAIS RÉCHAUFFER LE CANAPÉ

VOTRE HOMARD, MONSIEUR

UN AUTRE RESTO OÙ JE NE PEUX PLUS RETOURNER

«DÎNEUR FOU ASSOMME HOMARD À COUPS DE MOULIN À POIVRE»

GARFIELD, LIZ ET MOI VOUDRIONS ÊTRE SEULS

JE COMPRENDS TOUT À FAIT

MOI AUSSI, JE SERAIS GÊNÉ D'ÊTRE VU AVEC LUI

54

GA

RF

IELD!

LIZ ET MOI, C'EST DU SÉRIEUX, GARFIELD

CROIS-TU QUE JE DEVRAIS LUI DIRE QUE JE... L'AI...

... LO... LII... LAAH... LAI... LOU...

...LAI... MEU... EUEUEUEUHHHHHFFF

QU'ELLE ME PLAÎT?

N'HÉSITE PAS, GRAND ROMANTIQUE!

JIM DAVIS 8-8

55

WOUAAH!

BUZZ BUZZ

IL Y A QUELQUE CHOSE DANS MA CHEMISE!

BUZZ BUZZ

BUZZ BUZZ BUZZ

LÂCHE-MOI!!! LÂCHE-MOI!!!

JIM DAVIS 9-6

BUZZ BUZZ BUZZ

LE BIP S'EST DÉCLENCHÉ

HUM,... UNE TABLE POUR DEUX?

ET UN SAC POUR MA TÊTE

BUZZ BUZZ

IL FAIT BON D'AVOIR UN HOMME À LA MAISON

IL Y A UN HOMME DANS LA MAISON?

JE PARLE DE TOI, JON

JE LE SAVAIS!

CETTE IDÉE D'HOMME EST NOUVELLE POUR LUI

LIZ VEUT TOUJOURS FAIRE DES ACTIVITÉS DE FILLE

NOUS ARRIVONS D'UNE FOIRE DE MÉTIERS D'ARTS

ET J'AI (SNIF!) APPRÉCIÉ!

TOUT DOUX. ALLONS NOUS ÉTENDRE SUR LE CANAPÉ POUR NOUS GRATTER

MME WILSON

OUI?

VOTRE COPAIN EST DANS LA SALLE D'ATTENTE AVEC UN BANJO

OH NON!

DOIS-JE SORTIR LE PISTOLET TRANQUILLISANT?

J'AI L'ÉCUME AUX LÈVRES À CAUSE DE TOI... TU ES LA RAGE QUI COULE DANS MES VEINES BLEUIES

VACCINE-MOI DE TON AMOUR, JE T'EN PRIE,... CAR J'AI L'ÉCUME AUX LÈVRES À CAUSE DE TOI

ÇA TE PLAÎT?

EUH...

TOUS LES PATIENTS SONT SORTIS

TU AURAIS DÛ VOIR L'EXPRESSION DE LIZ QUAND JE LUI AI CHANTÉ MA CHANSON

ELLE AVAIT L'AIR DE CECI

J'ADORE CETTE EXPRESSION

TU LA VOIS SOUVENT

TU VEUX QUE JE TE RACONTE MA SOIRÉE AVEC LIZ?

AI-JE LE CHOIX?

NOUS ÉTIONS DANS L'AUTO À NOUS REGARDER DANS LES YEUX

J'AI VOULU ALLUMER LA RADIO, MAIS J'AI APPUYÉ SUR L'ALLUME-CIGARE...

QUI A ÉTÉ ÉJECTÉ SUR MES GENOUX. J'AI CRIÉ ET SAUTÉ JUSQU'À DÉFONCER LE TOIT DE L'AUTO. LES SACS GONFLABLES SE SONT GONFLÉS, LE KLAXON S'EST COINCÉ

EUF

ON NE M'AVAIT JAMAIS EXPULSÉ D'UN CINÉ-PARC AVANT CE SOIR

TU AS UN TALENT RARE ET INOUÏ, JON ARBUCKLE

MERCI, JON, POUR TA SÉRÉNADE ACCOMPAGNÉE AU BANJO

JE T'EN PRIE, LIZ

MAIS NE RECOMMENCE PLUS JAMAIS, D'ACCORD?

POURQUOI PAS?

LE CHIHUAHUA QUE J'EXAMINAIS EST EN ÉTAT DE CHOC

ILS ONT TOUJOURS CETTE EXPRESSION

LIZ JE NE SAIS PAS QUOI T'OFFRIR. DONNE-MOI UNE IDÉE

JON, TU N'ES VRAIMENT PAS OBLIGÉ DE ME FAIRE UN CADEAU

ELLE MANQUE D'ESPRIT SPORTIF

L'AMOUR EST UN SPORT-SPECTACLE AMUSANT À REGARDER

DIFFICILE DE TE FAIRE UN CADEAU, LIZ. JE N'AI ENCORE RIEN TROUVÉ

VRAIMENT? J'AI TROUVÉ LE TIEN IL Y A DEUX MOIS

PFFT!

RELAXE! BOIS CE LAIT DE POULE MOUILLÉE

JE ME RENDS COMPTE QU'AVOIR UNE COPINE N'EST PAS SI SIMPLE

J'AI DE LOURDES RESPONSABILITÉS, À PRÉSENT

JE DOIS ME RASER LE WEEK-END!

NUL N'A DIT QUE L'AMOUR EST CHOSE FACILE

LIZ, SI NOUS DÎNIONS DEHORS CE SOIR?

IL Y A CE RESTO OÙ L'ON SERT UN B-U-F-F-E-T

RÉSERVE UNE TABLE POUR T-R-O-I-S

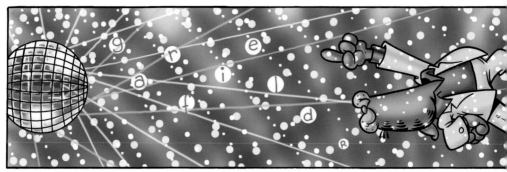

ACCORDEZ-MOI UN PEU PLUS DE TEMPS

GLOUUUUGLOUUUUU

UNE AUTRE MINUTE?

BRRRRRRRRRRRRRRR

JON, TOI D'ABORD

BIFTECKÀPOINTPOMME-DETERRECRÈMESU-REETCIBOULETTEASPER-GESVAPEUR

HUMMM

PLUS DE PAIN?

DU PAIN! OUI!!!

BLOUUUUUPS

62

GARFIELD
À PROPOS DE L'AMOUR...

LASAGNE... IL N'Y A PAS D'AMOUR COMME VOTRE PREMIER AMOUR

AMOUR, DOUX AMOUR. TANT DE MYSTÈRE ET TANT D'ÉNIGMES T'HABITENT... PAS ÉTONNANT QUE LE MONDE TOURNE AUTOUR DE TOI!

ON A ÉCRIT BIEN PLUS DE CHOSES SUR L'AMOUR QUE SUR N'IMPORTE QUEL AUTRE SUJET. LES POÈTES, LES DRAMA-TURGES ET LES CHANSONNIERS S'Y SONT ADONNÉS À CŒUR JOIE... MAIS POURQUOI EST-IL ENCORE SI DIFFICILE D'EN PERCER LE SECRET? IL SEMBLE QU'IL Y A DÉJÀ UN BON NOMBRE D'EXPERTS EN LA MATIÈRE (À MON AVIS, C'EST UN BEAU CLUB D'ABRUTIS). IL EST TELLEMENT DIFFICILE POUR JON DE COMPRENDRE LIZ, ET POUR LIZ DE COMPRENDRE JON. ILS ONT BEAU CHERCHER DANS TOUS LES ÉCRITS, AUCUN MODE D'EMPLOI NE VIENT AVEC UNE NOUVELLE FLAMME. DEVRAIENT-ILS SE PARLER? SUIVRE LEUR CŒUR? S'ÉCOUTER? FAIRE DES POTIONS DE COLOMBES ET DE ROMARIN?

TOUTES CES CHOSES ÉTHÉRIQUES ET ÉSOTÉRIQUES ME DONNENT MAL À LA TÊTE. QUANT À MOI, JE PRÉFÈRE QUE CE SOIT SIMPLE: J'AIME MES AMIS, MA NOURRITURE ET MON MOI-MÊME (PAS TOUJOURS DANS CET ORDRE). JE CROIS EN L'AMOUR À LA PREMIÈRE BOUCHÉE. VOYONS CE QUE CETTE PIZZA A À M'OFFRIR!

NON

NON

NON

VOILÀ QUI EST MIEUX!

MAIS C'EST MA CHEMISE BLEUE AVEC UNE CRAVATE!

TU ES TRÈS SÉDUISANT

JE NE COMPRENDRAI JAMAIS LES FEMMES

COMME SI C'ÉTAIT NÉCESSAIRE

VOICI UN BIJOU QUE VOTRE COPINE AIMERA

QUEL JOLI COLLIER!

EN SOLDE, EN PLUS

OUAH!

OÙ AS-TU PRIS CETTE CRÈME GLACÉE?

ON ME L'A OFFERTE PENDANT QUE TU ÉTAIS SANS CONNAISSANCE

OUI, MAMAN, JE FRÉQUENTE TOUJOURS LIZ

MAMAN, CE N'EST PAS SÉRIEUX À CE POINT!

ELLE VEUT DONNER À LIZ SA RECETTE DE PAIN AU MAÏS

AUTANT LUI OFFRIR UNE BAGUE TOUT DE SUITE

«JOYEUX NOËL, JON. AVEC TOUT MON AMOUR, LIZ»

TU VOIS?... LÀ... «AVEC TOUT MON AMOUR»

JE VOIS, JE VOIS

VOTRE COPAIN A ENCORE TÉLÉPHONÉ

POUR DIRE QU'IL NE VIT QUE POUR VOTRE RETOUR, ET QU'AU DÎNER CE SOIR IL VOUS FERA LA COUR

IL A DIT ÇA?

EN FAIT, IL L'A CHANTÉ, MAIS PAS DANS MON REGISTRE

LIZ, JE SUIS HEUREUX QUE GARFIELD ET TOI VOUS ENTENDIEZ SI BIEN

C'EST PRESQUE COMME SI NOUS ÉTIONS DE FIERS PARENTS!

D'UN GROS ENFANT ORANGE À RAYURES

BÉBÉ AFFAMÉ

QUE COMPTES-TU CHOISIR, JON?

DE LA BOUFFE

JE COMMANDE TOUJOURS DE LA BOUFFE AU RESTO

JE VAIS PEUT-ÊTRE T'IMITER

J'AI INVITÉ LIZ À TA FÊTE D'ANNIVERSAIRE

UN... DEUX...TROIS... QUATRE...

TU COMPTES LES PARTS DE GÂTEAU, N'EST-CE PAS?

MIEUX VAUT EN AVOIR DEUX

JOYEUX ANNIVERSAIRE, GARFIELD!

QU'EST-CE QUE C'EST?

UN GÂTEAU EN FORME DE LASAGNE! UNE CRÉATION DE LIZ

PARTONS ENSEMBLE TOUS LES DEUX

UNE RÉSERVATION POUR DEUX AU NOM D'ARBUCKLE

AH, OUI. NOUS AVONS UNE TABLE QUI VOUS EST EXPRESSÉMENT DESTINÉE

JE SUIS CONNU ICI

JUSTE SOUS UN EXTINCTEUR

OH, NON! PAS ENCORE!!!

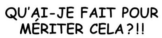

QU'AI-JE FAIT POUR MÉRITER CELA?!!

JE RECONNAIS CETTE VOIX...

ARMANDO! COMMENT ALLEZ-VOUS?

BONSOIR, SEÑOR ARBUCKLE

ARMANDO, CHAQUE FOIS C'EST VOUS QUI NOUS SERVEZ. COMMENT SE FAIT-IL?

QUELLE PAILLE COURTE

J'AI UN MAUVAIS KARMA

JON, ÇA TE DIRAIT QUE JE VIENNE CHEZ TOI FAIRE À DÎNER?

ICI? DANS MA CUISINE?

OUI. POURQUOI PAS?

JE PENSE AVOIR LE TEMPS DE RÉCURER LE FRIGO

JON?... TU ES LÀ?

DEVINE QUOI? JE NE CUISINE PAS CE SOIR. C'EST LIZ...

NOUS SOMMES **SAUFS!**

JE VEUX DIRE, VRAIMENT?

LIZ SERA ICI D'UNE MINUTE À L'AUTRE

CIEL... MA MONTRE S'EST ARRÊTÉE!

ELLE N'ARRIVERA JAMAIS ICI!

SON CERVEAU AUSSI S'EST ARRÊTÉ

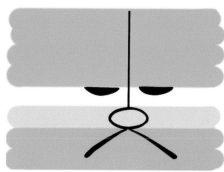

Garfield

SOMMES-NOUS DÉJÀ À CE TEMPS DE L'ANNÉE?

MAI

VOYONS... PAR OÙ COMMENCER?

MAI

JE SAIS!...

MAI

LE PLACARD DE JON!

DING DONG

DÉJÀ LE TEMPS DE LA MUE?

JIM DAVIS 5-1-7

BONJOUR, LIZ!

HELLO, JON

QU'EST-CE QUI SENT SI BON?

MON PARFUM?

MMM, CETTE ODEUR DE BŒUF...

AH, CE SERAIT MON **AUTRE** PARFUM

BIEN SÛR, J'ÉPROUVE LES MÊMES SENTIMENTS POUR TOI, LIZ...

EN FAIT, JE...

BURP

GARFIELD! RACCROCHE L'AUTRE COMBINÉ!

JON, POURQUOI NE PAS RESTER À LA MAISON CE SOIR?

ON PRÉSENTE DU PATINAGE ARTISTIQUE À LA TÉLÉ

POURQUOI PAS? J'ADORE ÇA!

GÉNIAL!

LAISSE-MOI DEVINER : PATINAGE ARTISTIQUE À LA TÉLÉ

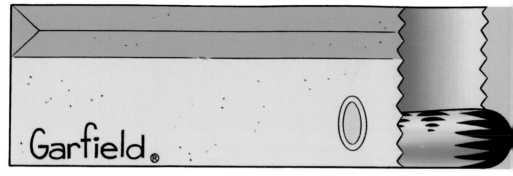

Garfield®

BONJOUR, ICI JON...

EN CE MOMENT, JE SUIS AB-**SENT**!

HÉ, C'ÉTAIT MON **MOLLET**! MAIS QU'EST-CE QUI TE PREND... AÏE!!!

RENTRE TES GRIFFES **DE SUITE**, SINON JE... OUILLE!!!

ÇA Y EST, C'EST BON! L'HEURE DE LA **PUNITION** A SONNÉ. VIENS ICIIIIIII *BIIIIIIIIIIIIIIIIIIP*

JIM DAVIS 4-27

J'AIME TON MESSAGE D'ACCUEIL, JON. IL EST PLEIN D'HUMOUR

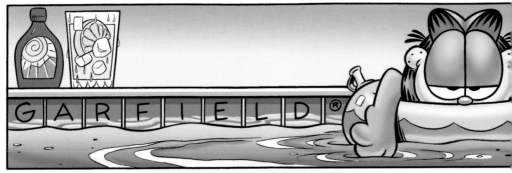

JON? LIZ À L'APPAREIL. J'AI DU MAL À DÉCIDER QUOI PORTER CE SOIR

J'AI D'ABORD PENSÉ METTRE MA ROBE BLEUE MAIS JE ME SUIS DIT QUE MON HAUT ET MA JUPE ROUGES FERAIENT UN MEILLEUR EFFET..

PUIS, JE N'AI PAS TROUVÉ D'ESCARPINS HARMONISÉS À CET ENSEMBLE, ALORS JE ME SUIS TOURNÉE VERS MA ROBE COCKTAIL ÉMERAUDE, MAIS SA GLISSIÈRE EST GAUCHIE...

J'AI DONC ESSAYÉ LA ROBE BUSTIER MAUVE, MAIS LE SAC QUI L'ACCESSOIRISE EST SOUILLÉ D'UNE TACHE DE MASCARA. D'AILLEURS, JE SUIS TOUJOURS D'AVIS QU'ELLE ME GROSSIT LES HANCHES...

JE N'AI DONC PLUS QUE MA ROBE BLEUE, À MOINS DE PORTER LE HAUT ET LA JUPE ROUGES AVEC DES SANDALES OU DES CHAUSSURES À BOUT OUVERT D'UNE TEINTE NEUTRE

JIM DAVIS 5-25

TOI, QUE PORTES-TU?

MON COSTUME

HOURRA POUR LES GARS!

QU'Y A-T-IL, JON ?

JE ME SENS COUPABLE D'AVOIR LAISSÉ GARFIELD ET ODIE

COMME C'EST CHOU

JE PEUX LES VOIR QUI M'ATTENDENT SUR LE PAS DE...

Z

JE VEUX OFFRIR QUELQUE CHOSE DE PARTICULIER À LIZ CE NOËL

QUELQUE CHOSE QUI VIENT DE MON CŒUR

DES LEÇONS D'ACCORDÉON ?

ESSAIE UN AUTRE ORGANE

VOYONS... VOUS REPRÉSENTEZ-VOUS VOTRE COPINE DANS CETTE GUÊPIÈRE, MONSIEUR ?

MONSIEUR ?

OUVRE GRAND... VOICI VENIR LE TCHOU-TCHOU...

J'AI DÉCIDÉ. LIZ AIME LA POÉSIE, ALORS JE VAIS LUI OFFRIR UN RECUEIL DE RIMBAUD

AUQUEL J'AJOUTERAI LE POISSON CHANTANT

TU M'AS INQUIÉTÉ PENDANT UNE MINUTE

LA PROCHAINE CHANSON EST DÉDIÉE À UNE AUDITRICE...

QUI SE PRÉNOMME LIZ...

DE LA PART DE JON, AVEC TOUT L'AMOUR DU MONDE

VOICI DONC POUR VOUS, LIZ, UNE CHANSON INTITULÉE...

«LA JOLIE NANA QUI LOUCHE ET QUI FAIT LE OUM DANS OUM-PA-PA»

DRELIN

CE DOIT ÊTRE LIZ POUR ME DIRE COMBIEN ELLE AIME LA CHANSON!

SURTOUT LE SOLO DE MIRLITON

J'AI OFFERT À LIZ UNE DOUZAINE DE ROSES... SANS VRAIE RAISON!

JE PARIE QU'ELLE EN SERA TRÈS ÉTONNÉE...

À 50 DOLLARS, ELLE FERAIT MIEUX DE L'ÊTRE!!!

UN COURT INSTANT DE CLARTÉ MASCULINE

JIM DAVIS 8-4

OH, DES FLEURS!

JE LES AI REÇUES DE RAMON, MON PROF DE DANSES LATINES

JIM DAVIS 8-5

OH...

JE PLAISANTE! ELLES SONT POUR VOUS

OH!

JE N'AI PAS DANSÉ LE MAMBO DEPUIS L'ADMINISTRATION EISENHOWER

VOUDRAIS-TU ALLER DANSER SAMEDI SOIR, JON?

VOUDRAIS-JE?!

VOUDRAIS-JE?!

POUR AUTANT QUE JE N'AI PAS À REGARDER

JIM DAVIS 9-5

JON, TU DOIS REMANIER TA GARDE-ROBE

AH?

NOUS ALLONS PASSER EN REVUE TOUS TES VÊTEMENTS

© 2008 PAWS, INC. All Rights Reserved.

HUM... VOYONS VOIR... HEM, IL FAUT TE DÉFAIRE DE ÇA... OH! ET DE ÇA AUSSI...

MAIS CETTE CHEMISE ME PLAÎT!

JIM DAVIS 7-6

ET CECI, ET CELA, ET CECI, ET CELA, ET... MAIS QU'EST-CE QUE C'EST?!

ÇA?

www.garfield.com

AU SECOURS!!!

PAUVRE CHÉRIE

ELLE A TROUVÉ SON COSTUME EN POLYESTER BLEU PASTEL

IL ME VA ENCORE!

Distributed by Universal Press Syndicate

GARFIELD

ET LES VÊTEMENTS DE JON !

ÇA Y EST, LIZ N'EN PEUT PLUS DES VÊTEMENTS DE JON! C'EST PEUT-ÊTRE CETTE VESTE EN LAINE DE VIEUX BOUC DÉNICHÉE DANS LE VIDE-GRENIER DU GRAND-PÈRE BOZO QUI A MIS LE FEU AUX POUDRES, MAIS CETTE FOIS, C'EST TROP. POURTANT, ET NE LE DITES À PERSONNE, J'ADORE CES HORREURS DE TOUT ACABIT. ELLES SONT PARFAITES POUR Y FAIRE MES GRIFFES OU MES SIESTES IMPROMPTUES.

COMBIEN DE FOIS ME SUIS-JE PELOTONNÉ AU CREUX DE CE PULL EN LAINE FLUO, DE CES CHAUSSETTES ORANGE EN POIL DE SANGLIER, DE CES PANTALONS MAUVES EN VELOURS CÔTELÉ? COMBIEN DE FOIS ME SUIS-JE FAIT LES GRIFFES SUR CES CRAVATES EN TRICOT BRUN ET ROSE, CES CHAUSSURES EN CUIRETTE FUCHSIA, CE VESTON EN JUTE BEIGE DÉLAVÉ?

IL FAUDRA, AVANT LE GRAND MÉNAGE DE LIZ, QUE JE METTE LA PATTE SUR UN DE CES PRÉCIEUX HABITS À TITRE DE SOUVENIR... OU PEUT-ÊTRE DE CAUCHEMAR!

LIZ A RÉGLÉ LA NOTE HIER SOIR

JE ME SUIS SENTI QUELQUE PEU BIZARRE

C'ÉTAIT BIZARRE MAIS D'UNE **BONNE** FAÇON

BIZARRE ET GRATUIT, LA BONNE FAÇON

JON ET MOI FORMONS UN BEAU COUPLE, N'EST-CE PAS, GARFIELD?

OUI. À LA MANIÈRE DES CHAUSSETTES À LOSANGES ET DU NŒUD PAPILLON

JE PERÇOIS DU SARCASME DANS TON SOURIRE

TU COMMENCES À ME CONNAÎTRE

REGARDE! LIZ M'A FAIT LIVRER DES FLEURS!

EST-CE LÉGAL?

MIEUX VAUT BAISSER LES STORES

MERCI POUR LES FLEURS, LIZ!

JE T'EN PRIE, JON

ELLES ÉTAIENT MAGNIFIQUES

«ÉTAIENT»?

ÉTAIENT

BURP

GARFIELD

TU ES VRAIMENT TRÈS ATTACHÉ À GARFIELD, N'EST-CE PAS ?

NOUS NOUS CONNAISSONS DEPUIS TRÈS LONGTEMPS

COMME UN COUPLE MARIÉ DEPUIS BELLE LURETTE

JIM DAViS 6-8

DEPUIS TROOOP LOOONGTEMPS

QU'EST-CE QUE C'EST CENSÉ VOULOIR DIRE ?!

PAF

JE VAIS SURVEILLER LE RÔTI

JE DEMANDE LE DIVORCE !

JE VEUX LE FRIGO !

MA COPINE TE PLAIRAIT, PAPA. ELLE ADORE LES ANIMAUX!

JE NE SAIS PAS... JE VAIS LUI DEMANDER

À QUELLE VITESSE PEUX-TU PLUMER UNE POULE?

JIM DAVIS 11-11

J'AI DEMANDÉ À MA COPINE ET, BIEN QU'ELLE N'AIT JAMAIS TENTÉ LA CHOSE...

JIM DAVIS 11-12

ELLE PENSE POUVOIR PLUMER UNE POULE EN TRENTE MINUTES

... PAPA?

ES-TU SÛR QU'ELLE TE MÉRITE, FISTON?

NON, MAMAN, LIZ ET MOI SORTONS SEULEMENT ENSEMBLE

NON, PAS DE DANSE DANS LES FOIRES AUX BESTIAUX...

OUI, JE SAIS CE QUI SE PASSE DANS CES FOIRES AUX BESTIAUX

FOIN DES CONFIDENCES

J'AI SU QUE TU AS UNE CO-PI-NE

BIEN VRAI, DOC BOY, J'EN AI UNE

L'AS-TU EM-BRAS-SÉE?

OH QUE OUI!

EUH... C'EST COMMENT?

GARFIELD, JE NE PENSE PLUS QU'À LIZ...

JE NE PEUX PENSER À RIEN D'AUTRE

JE COMPRENDS CE QUE TU DIS

JE NE PEUX PENSER À RIEN D'AUTRE QU'AU JAMBON DANS LE FRIGO

MERCI ENCORE POUR LE DÎNER, LIZ

BONSOIR, JON

EUF

EUF

AS-TU VU LA MANIÈRE DONT ELLE A COMMANDÉ LA PIZZA?

ÉPOUSE CETTE FEMME

Strip 1:

JE CHERCHE UN CADEAU POUR MA COPINE

PEUT-ÊTRE UN PARFUM?

JE PENSE QUE CELUI-CI LUI PLAIRAIT

ÇA SENT UN TROUPEAU DE CHIENS MOUILLÉS

JE LE PORTE EN CE MOMENT

J'ADORE L'ODEUR DE CHIEN MOUILLÉ

REPLIONS-NOUS ALORS QUE NOUS LE POUVONS

Strip 2:

OH, JON... UN BRACELET PORTE-BONHEUR! CHARMANT!

TU VOIS? IL Y A UNE BRELOQUE POUR LE CHAT ET UNE POUR LE CHIEN...

OÙ EST LA TIENNE

C'EST LA ROSE

IL NE RESTAIT PLUS DE BRELOQUE D'ANDOUILLE

Strip 3:

LIZ A PEUT-ÊTRE RAISON. NOUS POURRIONS FAIRE UN PEU DE MÉNAGE...

ET LES POULES POURRAIENT FAIRE «MEUH»

NOUS SOMMES **CÉLIBATAIRES**, PETITE

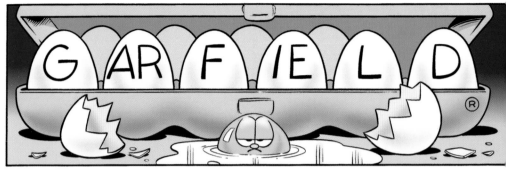

J'ADORE CE FILM

MOI AUSSI

CHAQUE FOIS, CETTE SCÈNE ME FAIT PLEURER...

AH! LES FILLES SONT SI SENSIBLES

DÉSOLÉE, SNIF, C'EST PLUS FORT QUE MOI... C'EST, SNIF, SI TRISTE...

TOUT DOUX, LAISSE-TOI ALLER

EUH, TU M'EXCUSES POUR UN INSTANT?

♪HONK HONK HONK HON HONNNNK SNIFF... SNIFF... SNIFF

JIM DAVIS 10-28

TU TE SENS MIEUX, MAINTENANT?

BIEN JOUÉ, SEÑOR MACHO!

94

ÉPOUSE-
LA

JIM DAVIS 2·3

LIZ, JE SUIS HEUREUX DE PASSER CETTE SOIRÉE AVEC TOI

MOI AUSSI, JON... C'EST MERVEILLEUX

NON, C'EST PLUS QUE MERVEILLEUX... TOI ICI, C'EST LA PERFECTION

BIP BIP

BIP BIP

DEVRAIS-JE RÉPONDRE?

BIP BIP

BIP BIP

RÉPONDRE À QUOI?

BIP BIP
BIP BIP
BIP BIP

BIP BIP
BIP BIP
BIP BIP

BIP BIP
BIP BIP
BIP BIP

BIP BIP
BIP BIP

BIP BIP
BIP BIP
BIP BIP

BIP BIP
BIP BIP

J'AI LA MESSAGERIE VOCALE. ILS S'EMBRASSENT!

JIM DAVIS 12-30

96

LIZ, QU'AIMERAIS-TU RECEVOIR À LA SAINT-VALENTIN?

C'EST VRAI?

ELLE AIMERAIT ME RECEVOIR, MOI!

C'EST COMME ÇA QUE COMMENCENT À SE FORMER CES VILAINES BOULES DE POIL

JE CHERCHE UN CADEAU DE SAINT-VALENTIN DANS CE CATALOGUE DE FOURNITURES POUR VÉTÉRINAIRE

HUM...

TU CROIS QU'ELLE AIMERAIT UNE SONDE CHAUFFANTE ÉLECTRIQUE?

JE SAIS QUE J'AIMERAIS

JE VOULAIS FAIRE UNE CARTE DE LA SAINT-VALENTIN À LIZ...

MAIS JE SUIS INCAPABLE DE DÉCOUPER UN CŒUR!

JE DEVRAIS PEUT-ÊTRE LE REMPLACER PAR UN AUTRE ORGANE

«JE T'AIME DE TOUTE MA VÉSICULE BILIAIRE»

JOYEUSE SAINT-VALENTIN, JON!

JOYEUSE SAINT-VALENTIN, LIZ!

HU-HUM...

VOUS N'AURIEZ PAS
AUTRE CHOSE À FAIRE?

Distributed by Universal Press Syndicate

LIZ VIENT FÊTER LA SAINT-VALENTIN!

ELLE VA LOUER UN FILM POUR FILLES...

J'AI FAIT DU CHOCOLAT CHAUD ET NOUS ALLONS LE VISIONNER ICI, SUR LE CANAPÉ...

ET PARTAGER UN POT DE CRÈME GLACÉE ET UNE BOÎTE DE MOUCHOIRS DE PAPIER

QUE FAIS-TU?

JE DIS ADIEU À TA VIRILITÉ

JIM DAVIS 2-10

TU SAIS QUOI, LIZ? J'AI FAIT LE MÉNAGE DE TOUTE LA MAISON!

OUAIS... J'AI MÊME ÉPOUSSETÉ LA TOUR DE CARTONS DE PIZZAS AU SALON!

HÉ, CERTAINS Y VOIENT DES OBJETS DE **COLLECTION**!

LA BEAUTÉ ES QUELQUE CHOS DE SUBJECTI

JE ME DEMANDE CE QUE FAIT LIZ EN CE MOMENT...

ET EN CE MOMENT...

ET EN CE MOMENT...

WHAM
WHAM
WHAM
WHAM

QUAND JE SUIS AVEC LIZ, JE ME SENS UN AUTRE

QUAND JE SUIS AVEC TOI, JE ME SENS COMME...

MOI

LES CHATS ÉVEILLENT LA CONSCIENCE DE L'ICI-MAINTENANT CHEZ LES HUMAINS

LIZ ÉVEILLE L'HOMME EN MOI!

OUAH-HA! HA! HA!

✳ RRRRT ✳

HA! HA! HA!

J'AIMERAIS MIEUX QUE TU RIES DEVANT MOI!

CE SERAIT IMPOLI

LES MOINDRES GESTES DE LIZ SONT MIGNONS

COMME LA FAÇON DONT SON NEZ SE PLISSE LORSQU'ELLE BÂILLE...

J'ADORE ÇA

ET JE PARIE QUE SON NEZ SE PLISSE SOUVENT EN TA COMPAGNI

Garfield
XXXXXL

CETTE SEMAINE, C'EST À LIZ DE CHOISIR LE FILM

CIEL, J'ESPÈRE QUE CE NE SERA PAS UN AUTRE TIRE-LARMES

DITES-MOI QUE C'EST UN FILM D'HORREUR!

BIP BIP

LIZ? C'EST JON. QUEL FILM VERRONS-NOUS CE SOIR?

J'AI CHOISI UN FILM D'HORREUR

YÉ!

GODZILLA ET JULIETTE

CLOP

JIM DAVIS 3-11

PRÊTE POUR NOTRE RENDEZ-VOUS, LIZ ?

MAIS AVANT, IL FAUDRAIT PRÉVENIR LE SERVICE DES INCENDIES

CAR MES LÈVRES SONT EN FEU !

QUI VA PEUT-ÊTRE SE PROPAGER À TA VESTE

LIZ, T'AI-JE DIT À QUEL POINT TU ES BELLE ?

IL Y A TRENTE SECONDES

OH, C'EST VRAI

AS-TU DÉJÀ DRAGUÉ SANS NOTES ?

JE CRAINS D'AVOIR MIS LIZ DANS L'EMBARRAS AU RESTO

POURQUOI NE PAS M'EN SOUVENIR ?

ON EMPLOIE LES USTENSILES !

OU ON NE COMMANDE PA DE SPAGHETTIS ET DE CRÈME DE BANANE

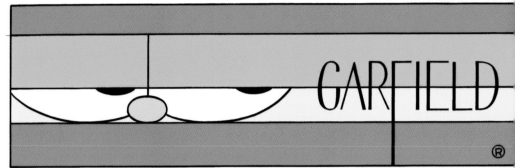

GARFIELD

À PLUS TARD, LIZ...
OUAIS!... MOI AUSSI...

Distributed by Universal Press Syndicate

TU VEUX
QUE JE
QUOI?!

LIZ, JE NE PEUX EMBRASSER LE
COMBINÉ... MON CHAT ME REGARDE

JIM DAVIS 6-10

JE SAIS,
ÇA SEMBLE
BIZARRE

CROIS-MOI
SUR PAROLE

UNE FOIS POUR LE
TÉLÉPHONE-CAMÉRA,
JE T'EN PRIE!

POURQUOI GARFIELD AIME-T-IL TANT LA TECHNOLOGIE ?

PARCE QU'IL PEUT « TCHATTER » !

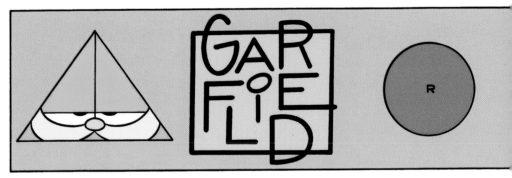

SALUT, LIZ ?

QUE FAIS-TU ?

OUTRE RÉPONDRE À MON DIX-NEUVIÈME APPEL POUR TE DEMANDER CE QUE TU FAIS

IL TE FAUT L'AFFICHEUR, MA VIEILLE

JE VAIS ÉCRIRE UNE LETTRE D'AMOUR À LIZ

ET LES GRANDES LETTRES D'AMOUR COMPARENT TOUJOURS L'ÊTRE AIMÉ À QUELQUE CHOSE. AS-TU UNE IDÉE ?

DE LA LASAGNE, VOYONS !

JIM DAVIS 10-2

TROIS BILLETS POUR L'AQUARIUM, S.V.P.

NAVRÉE, MADAME...

MAIS IL FAUT LAISSER CELA À L'EXTÉRIEUR

REMETS-LUI LE HARPON, GARFIELD

TROUBLE-FÊTE

JE NE VOIS PAS DE POISSONS

C'EST UNE ESPÈCE RARISSIME

ILS SONT TRÈS TIMIDES

ILS SE CACHENT PROBABLEMENT

JE SUIS DÉSOLÉ DE CETTE SOIRÉE, LIZ

TOUT ÉTAIT DIFFÉRENT

JE N'AI JAMAIS VU DE RESTAURANT MANQUER DE NOURRITURE AVANT CE SOIR

ÇA NOUS ARRIVE CHAQUE FOIS

ET ON NE M'AVAIT JAMAIS FLANQUÉE À LA PORTE D'UN AQUARIUM

ÇA AUSSI

NE SOIS PAS TRISTE À PROPOS DE CE SOIR... JE ME SUIS BIEN AMUSÉE

MOI AUSSI

BURP

SANS PARLER DE GARFIELD

EMBRASSE-LA, CRÉTIN, AVANT QU'IL NE SOIT TROP TARD

POURQUOI JON PRÉFÈRE-T-IL LES NŒUDS PAPILLON ?

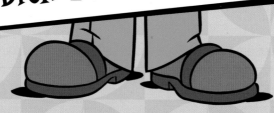

« CARREAUTÉ » UNE CRAVATE EST BIEN TROP COMPLIQUÉ !

SNIFF SNIFF

QUEL NAVET, CE FILM!

SNIFF

HÉ, LIZ!... QUOI? UNE CONFÉRENCE SUR LES SOINS VÉTÉRINAIRES? CE SOIR?

D'ACCORD! ÇA SEMBLE PASSIONNANT!

JE ME DEMANDE QUOI PORTER POUR L'OCCASION

UN REGARD QUI SEMBLE SINCÈREMENT INTÉRESSÉ

J'AI HÂTE À LA CONFÉRENCE DE CE SOIR, LIZ

POURQUOI? EN GÉNÉRAL, LES GENS S'Y ENNUIENT

PAS MOI!

OH, TU ES UN EXPERT EN SOINS VÉTÉRINAIRES?

NON, JE SUIS UN EXPERT EN CHOSES ENNUYEUSES

VLAN!

PAS BESOIN DE LUI DEMANDER COMMENT ÇA S'EST PASSÉ

JIM DAVIS 9-3

GARFIELD, DEVINE CE QUE J'OFFRE À LIZ POUR SOULIGNER NOTRE ANNIVERSAIRE...

JIM DAVIS 1-28

DES INSÉPARABLES!

ILS REPRÉSENTENT LIZ ET MOI, ET LES CLOCHETTES, LA MUSIQUE QUE NOUS FAISONS ENSEMBLE!

FAIS GAFFE AU GROS!

JE L'AVAIS VU

BON, JE FERAIS MIEUX DE ME PRÉPARER

TU VOIS, LES DEUX, HUM, BOUCLES D'OREILLES REPRÉSENTENT TOI ET MOI, ET LES CLOCHETTES SYMBOLISENT...

UNE PLUME EST COLLÉE À CELLE-CI